흔한햄

1

일러두기

1. 본 작품은 우울증에 대한 묘사가 일부 포함되어 있으므로 감상에 주의가 필요합니다.
2. 맞춤법과 띄어쓰기 규정에 어긋나는 것은 바로잡되, 작가가 의도적으로 표현한 것은 잘못되었더라도 그대로 두었습니다.
3. 띄어쓰기와 맞춤법은 국립국어원에서 펴낸 『표준국어대사전』을 기준으로 삼았습니다.

글·그림 잇선

위즈덤하우스

작가의 말

흔한햄의 시작은 자연스러웠습니다. 어느날 인터넷으로 본 햄스터의 모습이 왠지 웃기고, 정이 가고, 귀엽다 보니까 자연스럽게 그려 보기 시작했습니다. 그리다 보니까 동질감이 느껴져서 좋았습니다. 그렇게 저도 햄스터가 되어 버렸습니다.

그 친구의
평소 모습은
꽤 바보
같았는데요.
메엥…
얘는 평소에
생각이 없나?
그 모습은 저랑
비슷했습니다.
실제로 저도
햄스터이기도
하고요.
나도 평소에
별생각 없이
살잖아..
메엥..

그렇게 여러
햄스터들을
취재했습니다.
저는 태어날 때부터
아몬드 부자였고요.
아, 네..
그러다 햄햄이를
만났습니다.
저는 특별한 게
없는데요..
바로 이거지!
이게 특별한 거얏!!
?

그렇게 흔한햄을
그리기 시작했습니다.
헤헤.. 웃기게 생겨서
그리기 재밌어.
저 작은 녀석이
애쓰는 모습을 보면
뭔가 응원하게
되더라고요.
힘내, 햄!
어쩌면 햄을
응원하면서
제 자신도 같이 응원하고
있는지도 모르겠습니다.
흐이이...
같이 힘내자구..

목차

2장

3장

1장

시간이여,
날 좀
죽여 다오.

살아 있긴
하지만...
살아가고
있는지는
모르겠다.
머엉;

예전에 사 놓은
쳇바퀴는
이젠
거들떠
보지도
않는
흉물이
돼 버렸다.
후비농

모르겠다.
다 재미가 없다.
으게
이렇게 된지
오래됐다.

이상한 핸드폰
게임들도..
이상한 녀석들이
득실대는 SNS도..
으게에에~
너무 하다 보니까
진절머리가 난다.
(물론 그래도 한다.)

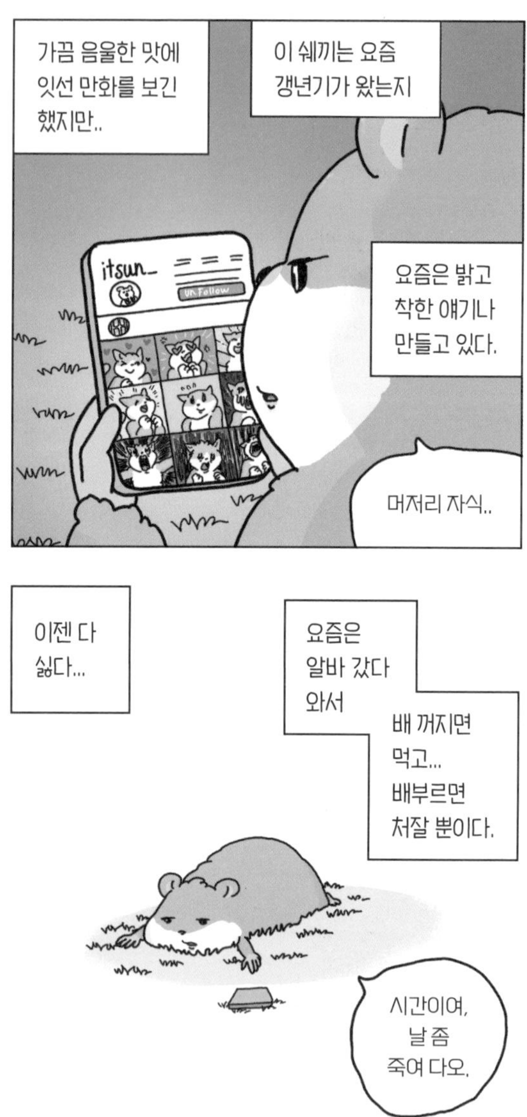
가끔 음울한 맛에
잇선 만화를 보긴
했지만..
이 쉐끼는 요즘
갱년기가 왔는지
itsun_
Un Follow
요즘은 밝고
착한 얘기나
만들고 있다.
머저리 자식..
이젠 다
싫다...
요즘은
알바 갔다
와서
배 꺼지면
먹고...
배부르면
처잘 뿐이다.
시간이여,
날 좀
죽여 다오.

꼬르르륵
아,
배고프군.

기분도
꿀꿀한데
덜컹
오늘은 좀
달려야겠어.
황올해씨

먹자,
뇨물
뇨물
황올해씨
배 터질 때까지.

먹자.
송송송송송
나사 빠질 때까지.

먹자..
싫은 생각이
사라질 때까지.
와물 와물
코끼리
아이스크림
이후 12시간 잤다...

띠릿 띠띠릿띠디
아유...
벌써 알바 갈 시간...
누가 나 안 죽여 주나..?

아르바이트 가는 건 날 미치게 한다.
풀때기
아아..
알바 장소에 가까워질수록 강해지는 저항감...

하지만
해야 한다.
여기서는
나름 열심히
하고 있다..
후욱
후욱
괜히
욕먹기
싫잖아.

평소엔 없는
표정도 짓고..
싱
긋
감사합니다~

집에 있을 때랑은 다르게
열심히 움직인다.
타닷탓
지나 갈게요~
쪼잉 쪼잉
어어, 그래.

아니 나는 다른 걸 시켰다고옷!!!
빨리 바꿔 줘!!!
딸꾹
버럭
아, 넵.
미친 놈들 앞에서도
가만히 있을 줄 안다.

풀 때 기
그렇게
일을 하고
돌아오면
내게 남은 것은
아무것도 없다.

저금 따윈 생각도
못하고 있다.
그저 하루 벌고
하루 사는 삶.
끼익…
미래 계획들은
모두 불투명하다.

불을 켜면
나와 텅빈 방만
있을 뿐이다.
딸칵

슬픔은 없다.
그저 살아갈
뿐이다.
도넛이나
하나 시키자.

가끔은 친구들도
만난다.
푸하하하하
푭키익
응키킥
친구들 앞에서
난 하이텐션이다.

나름 잘 웃고
슈퍼 샤~
슈퍼 샤~
맥커 마인~
맥커 마인~
큭큭
뭐야, 갑자기~

나름 잘
챙기려 한다.
뭐 놓고
간 거
없지?
옹~
예쓰!

그리고 술에 취해
기억도 안 나는 말을
몇 시간이고 한다.
아니 근데 진짜 그건
아니지 않아~~??
근데 진짜
그건 좀
그렇지.
내가 요즘
나는 홀로를
보고 있는데~~

그러다 같은 말을 서너 번
반복할 때쯤엔...
내가 요즘
나는 홀로를
보고 있눈뒈...
아뉘 그건
진쫘......
아뉘지..
집에 갈 때가
왔다는 걸 느낀다.

헤어지기 전 술에 취해
네컷 네컷을 찍을 때도
네컷네컷
찰칵
찰칵
네컷네컷
한껏 방정맞은
포즈를 취한다.

우리 우정
평생 가자~~
포에버~~
그러니까~~
자주 보자
쫌~~
응~

그럼 잘
가고~~
응~~ 잘 가.
안녕~

그렇게
헤어지고 나면...
묘한 해방감과
고독감을
느끼게 된다.
휴우~

그리고 나는
나만의 세계에서
편하게
우울해 한다.
딸칵
하아..

인생은
결국...
혼자야...
와물 와물...
응...
아이스크림

평소에 이런 얘길
자주 듣는다.
너 피곤해~?
졸려?
집에 가고
싶어??
세상에
불만 있니??

아니이~~~
물론 대부분
맞는 말이다.
어떻게 알았지..?
나름 숨기고
있었는데...

오늘도 그런
비슷한 얘길
들었다.
햄아~
너 요즘
우울해
보인다?
응?

아니 난 지금
누구보다 신나고
활력이 넘치는
상태야.
어우
신나.
?

이렇게 춤도
추잖아.
쇼잇
쇼잇
쇼잇
춤도
새드하네.

요즘 내가
꽂힌
쥐컬릿이야.
어쨌든 이것
좀 먹어 봐.
처억
우울할 땐
단 게 최고지.

먹고 꼭
소감 말해
줘야 한다?
앙?
그래
고마워.
집 가서
먹을게.

라고 하기에는

오도독

에

너무 맛있는 맛이었다.

에에

에

포도당이
내 삶의
위안이
되는구나.
고맙다.
물론 일시적이겠지만..

저번에
초콜릿
고마워.
여기 내가
커피 살게.
오!
햄!
내가 준
춰퀄릿
어땠어!
우울증이 걍
싹 사라졌지?

확실히
달콤했어.
하지만
일시적이었고
얼마 안 가
지금처럼 또
무기력해졌지.
아..

그런 건 그저
임시방편일
뿐이야.
내 만성
우울증은
그냥 평생 달고
살아야 할 지병
같은 거야.
비염이나..
수족 냉증
같은...

......

그럴 땐 그냥
다른 취컬릿을
먹으면 되지!
처억
내 말 혹시
다른 귀로
빠졌니?

햄!!
너는 너무
인생을
복잡하게
생각해!
그럴 필요
없잖아.
쓱
죽고 싶어도
떡볶이
먹고 싶어서
못 죽는
녀석들이
얼마나 많은데!!

그건 그래,
대부분
그렇겠지..
그렇다니까!!
가끔
단 거 묵고
해피하면
그게 성공한
인생이지 뭐!!

.....

토깽이 말도
일리가 있어.
내가 쓸데없이
스스로에게
지나친 걸
바라는지도..
하지만 그렇다고
그런 나에게
벗어날 수도 없지...

나는 대체 나에게
뭘 바라고 있는 걸까?

일단 새로 받은
초콜릿을
먹고 싶네.
오도독
오늘은
조금 쓰다...

며칠째
야식을
연속으로
먹고 있다.
와물
와물
이런 빌어먹을,
도대체 내게 무슨
일이 벌어진 거냐?

먹을 때마다
이게 마지막이라고
생각하지만.....
딱 오늘
까지야....

조금만 지나면
또 다른 음식이
생각난다.
와, *김찌
확 땡기네.

*김치찌개

먹을 땐
좋지만
흥기뇨오옹
와도독
와독

다 먹으면 내가 무슨
미친 짓을 했나 싶다.
배가
넘무
무거워..
배불..
나....
돌아버린 거냐..?

대체 왜
이러는 걸까?
머릿속에 뭔가
싫은 기분을
잊기 위해?
느에에

내 인생의
결핍을
어떤 식으로든
채우기 위해서?
일단 배는
확실히
채우긴 했어.

때때로
거울을
지나칠 때면
분명
살쪘을 거
같은 맘에
곁눈질로만
살짝 본다.
슬쩍..
읏.. 지금은
아니야...

헐렁했던 옷들이
타이트하게
느껴질 땐
그저 일시적인 거
라고 생각한다.
꽈악
읏
......이건..
잠깐이야..

하지만 언젠가
다시 곧 제자리를
찾을 수 있겠지...

라는 막연한
생각으로 똑같은
하루를 보낸다....

오늘도..

내일도..

아마 내일
모레도..

결국...
쪄 버렸다..
제대로
쪄 버렸다...
오동통통 통
뭔데
이게....

처음엔 그저
부은 거라고
생각했다.
흠..
저녁 되면
뭐 또 금방
돌아오겠지?
당연히?

하지만 저녁이 돼도
살은 그대로였다.
뭔데
이거..
어어?
진짜라고?

용기를 내서
체중계에
올라가 봤다.
아 진짜
숫자 가지고
장난치지 마!!
나는 긴장되기
시작했다..

혹시 체중계가
고장 났나 싶어서
수십 번 자리를
바꿔 본 다음에야
직면하게
됐다.
쓱
쓱
쓱
이건
빌어먹게도
진짜 내
살이다....
딱히 즐길 거리도
없던 내 인생에..
유일한 도피처가
먹는 거였는데
이젠
그것마저도
뺏기는 거냐..

삶이 좀 너무하다는
생각이 들지만..
그렇다고
이 삶에서
벗어날 수도 없다.
당분간은
아몬드나 잣
같은 거만 먹자..
잣 같아.

인생을
잘 살려면
싫은 일을
얼마나 해야
하는 걸까?
재밌는 일은
얼마나
포기해야 하지?
으에..

행복은 대체
어떤 식으로
얻는 게
맞는 거냐...

요즘은 밖에 잘
안 나가고 있다.
으게에
으게...
내 자신이
맘에 들지
않아서.

우울하니까
식욕도 없어지고
딱히
하는 일 없이
벽이나 보면서
멍 때리고만
있다.
머엉...
에그에
에게에..

그러던 와중
어떤 친구가
생각났다.

특정 상황에서
특정 친구가
생각나곤 한다.

며칠 뒤
울쥐야,
오랜만이다.
그러네
3개월만?

어떻게
지냈어?

나야
뭐...
인프피니까..
집구석에서
선정우아 노래
들으면서
질질 짜고
있었지..
선...
뭐?

그렇게 있으면
답답하지 않아?
정신에도
안 좋을 거
같은데..
꼭 그렇진
않아.

난...
우울한 게
익숙하고
편해..
에?

우울한 것도
나름 맛 들이면
재밌어...
너무 깊이 빠지면
위험하지만..
...대체 어떤 삶을
살고 있는 건데...

그래서
요즘 계획이
어때?
쫑긋
쫑긋
뭔가 있어?

내 계획은
**'아무렇게나
살다가 죽기'**야.
어떻게
된 거야?

너는 어때?
요즘에도
그림 그려??
너 디자인
학과도
졸업했잖아.

그 졸업장..
쓸모없어서
똥 닦아서
버렸어..
에에??

그림 그리는 거
좋아했잖아.
그랬지..
하지만
이젠 뭐...
나보다 워낙
잘 그리는
햄들도 많고..
그걸로
먹고살 수
있을 지도..
그래도 하고 싶으면
해 보는 것도
좋을 거 같은데....
에에..
근데 그려도
아무도 안 볼 거
같아..

아니 결과가
안 좋다고
해도..
어차피 우린 다..
**얼마 못 살고
죽으니까..**
괜찮지
않아?
????

아..아니 왜
멀쩡히
살아 있는데..
벌써 죽는 얘길
하고 그래....
무섭잖아...

그냥 누구나
한번쯤 해 볼 수 있는 상상이잖아...
츄베릅
너 진짜 괜찮은 거 맞지?
나는 그냥 인프피 일 뿐이야.. 헤헤..

어차피 우리 모두
얼마 못 살고
다 죽을 거야.
....
라는 말을
듣고 왠지
기분이
좋아졌다.

지금까지 죽어 간
수많은 생명들.....
거의 다
이름도, 생애도
모른 채 흙이 됐지....

세상은
나에게
아무런
관심이
없다.
처억
그래서
최고다.

그렇다면 나도
(조금은) 마음대로
살고 싶어.....
쓱
좋아..

오늘부터
나는
말만 꺼내도
부모님의
억장이
무너지는..!
츠억
[그림 작가]에
도전해 본다!

그렇게 나는
알바 끝나고
쿡쿡..
끼적
끼적
간단한 그림을
그려서 SNS에
올렸다.

퀄리티는 누가 봐도
부끄러운 수준이지만..
상관없다.
헤에.........
8 10 3
어차피 현실 친구
아무도 모르는 계정..

보름 동안
8개 올렸고
팔로워는
10명.
그 팔로워
마저 전부
광고..
팔로워
중고차 딜러
귤농사 맞팔
공동구매
그야말로 아무도
관심 안 갖는
그림 쪼가리네..

하지만 난
하고 있다..

전과는 다르게
뭔가 하고 있다..

잇선의 편지

안녕하세요,
잇선입니다. 호호호홍..

무엇인가 도전하고 싶은 일이 있을 때,
삶이 유한하다는 생각을 하면 도움이 될 때가 있지요.
저도 그림 그리는 일을 시작할 때 그런 생각을 많이 했어요.
삶이 끝날 때 후회하고 싶지 않다는 생각이요.

물론 야식을 먹을 때도 그런 생각을 하면서 먹긴 합니다.
먹으면 안 되는 걸 알면서도 왠지 안 먹고 죽으면
너무너무 아쉬울 것 같다는 생각을 하거든요.

그리고 굉장히 맛있게 먹은 뒤,
'다시는 절대 안 먹어야지!'라고 생각하고.. 또 먹어요.
그런 생각도 적당히 해야겠네요. 흐이잉~

어쨌든 햄이 드디어 그림을 그리기 시작하고,
무엇을 한다는 것에 보람을 느끼는 게 참 좋네요.

햄아, 파이팅!
저도 파이팅..

이 글을 읽고 계신 독자님들도 파이팅이요!

무헤헹헹..
이것만
다 그리고
쓱
쓱쓱
보상으로
야식 하나
먹을까나?

2장

하지만
현실은 현실이다.

햄~
요즘 왜 이렇게
보기 힘들어~~
애인
생겼지?
애인이네,
백 퍼.

나 좋다는 쉐끼
아무도 없어....
그냥
일 끝나고
뭣 좀
하느라
그래...
뭔데?
뭐야?

그냥 뭐....
소소하게
그림
그리고 있어..
뭐라고?

빠
안—
....!!!!!

뭔데 뭔데 뭔데??
알려 줘!!
너 피카소처럼
부자 되는 거야?
빨리 말해 봐!
가족한테
홍보해 줄게.
젠장
무심결에..

알려 줘도
별 탈 없겠지..
이..
이거야.
와!
어디
봐 봐.
오오!

어...........
오....................
음..........
....

..............흐음...
.........아..............

뭐.. 힘내구..
우리...
저녁..
뭐 먹을까나?

....
......
다 싫어.....

요즘은
정신없이
살고 있다.
흐게
흐게

알바 갔다 오면
바로 이상한 그림이나
그리고 있고...
휴우
휴우
쓱쓱쓱

잠깐 눈 감았다가
뜨면 바로 또..
알바 갈 시간이다.
띠띠띠띠
흐게
흐게

이런 루틴을
반복하다 보니
요즘은 그냥
별 생각도 없고...
대충 그냥
멍 - 하다.
흐겡......

그래도 뿌듯한 건 SNS에
팔로워가 늘었다는 것..
우왕~
200배
많아졌네?
대박...

지치고..
미래가 안 보이는
인생이지만
이걸로 뭔가
됐으면 하는..
묘한 희망이
생겨서 좋다.
느헤헤....

당분간
이런 별 탈 없는
하루가
잘 유지
됐으면
좋겠네.....
그림을
잘해 보고
싶어...

다음 날
햄아
이제 가게
접어야겠다.
너도
다른 일
구해 봐.
예???

요즘 경기가
안 좋아서.....
미안하다.
아...
네...

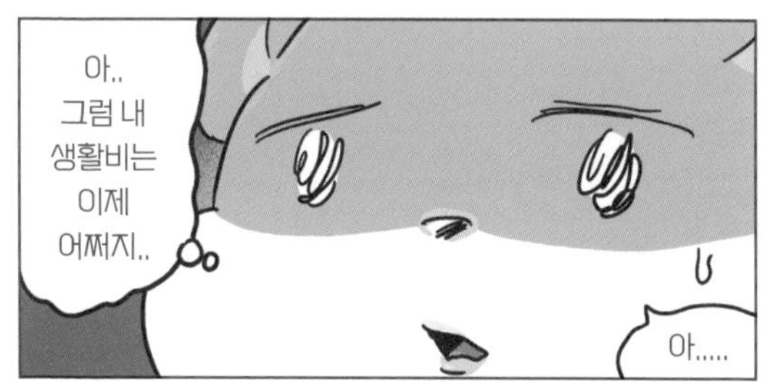
아..
그럼 내
생활비는
이제
어쩌지..
아.....

세상은 대체
내게 뭘
바라는 거냐..?

요즘엔 대갈통에
돈 생각뿐이다.
돈돈돈돈돈돈
돈돈돈돈돈돈
아
돈까쓰..

일자리를
찾아보면..
죄다 돈 안 되고
이상한 것들뿐..
이게 다 뭐야..
임상 실험은
또 뭔데..

그나마 돈 되는 것들은
끔찍한 것들이다.
죽을 각오 되신 분들만
돼지 똥치우기
상하차 주 120시간 철야
신장 건강한
미치겠네..

하고 싶은 일을
하면서 산다는 건..
말도 안 되는
헛된 꿈이다.
자기 그림으로
돈을 번다고..?
차라리
돼지 똥
치우기를
하지!

그러다 곧
망상에 잠긴다.
아... 한 달에
2억씩 벌려면..
어떻게
해야
하지?
톡틱 깔고
이상한
춤출까?

얼른 돈
개많이
벌어야
하는데...

돈 많이 벌면
일단 짜장면
곱빼기 시키고..
부모님 쉬게
해 드리고..
건강 검진
받으러
가고..

해외여행
미친듯이 가서
SNS에
자랑 복수하고
5만원권 지폐로
눈물 닦고...
외제 차에서
눈물 셀카
올리고..
5만원

아니 그냥 적당한
집 구해서..
가끔 친구
초대하고..
별 걱정 없이
유유자적
살고 싶어..
그냥 그뿐이야..

하지만
현실은
현실이다.
어.........
빨리 생활비
해결해야지..

현실은
현실이다.
일 구하자..

최근엔
하루 10시간
빵 공장에서
일한다.
으에..
훔푸
훔푸

일 끝나고 나면 하루 중
두세 시간이 남는다.
털레
털레..

그 시간 동안
난 공부를
하려고 했다.
좋아!
처억..
가 보자..

하지만 퇴근 후
내 몸 상태는
그저 껍데기만
남은 폐기물이다.
머
엉...
으게에...

손가락 하나
움직일 정신도
체력도 없다..
흐이이
부들
부들..
아니.. 왜..
이렇게..
지치지....

조금 쉬어야
될 거 같아서 잠깐
핸드폰을 하면...
니히히..
그 소중한
두세 시간은
금세 사라진다.

그 와중에
"뭔가 해야 될 거 같아.."
라는 의무감은 남아서
늦게라도
책상에
앉는다..
이대로
잘 순
없어...

하지만
극심한 허기로
이상한 음식을
주워 먹게 되고..
당이
필요해..
와물
와물...

먹으면
또 졸려져서
생산력이
낮아지게
된다...
아으

그렇게 또 새벽
늦게 자괴감에
찌든 채로
지쳐 잠에 든다.
다 내
잘못이야,
다 내
잘못...

그만 살고 싶어도
다음 날 아침은
강제로 찾아온다..
살려 줘..
아니면
죽여 줘...

오늘도
평범하게
출근 준비를
하고 있었다.
하지만
그날따라
느껴지는..
무뇨
무뇨...

출근하기 싫은
강한 느낌...!
와아..

정확히는 모르겠지만
"이건 뭔가 아니다.."라는
생각이 차오르기 시작한다..

걍 때려칠까? 지금 바로
때려친다고 말해?

어떡하지?

아니면 죽을 병에 걸렸다고..?

핑계 어디 없나??
아 도대체 어떡하면..!!

감정이 태도가 되면
안 된다고는 하지만
으우
그 감정이 너무
강하면 어쩌지요..??

하지만 정신을
차려 보니 이미
출근길에 서 있었다.
BUS
에??

결국 한국 햄스터의 DNA에서
못 벗어난 거다.
참고
일해야지..
다 내가
부족한 거니까..

하지만
마음 깊은 곳에선...
이미 퇴사의 싹이
자라고 있었다..
떠나야 한다 나는
떠나야 한다 나는
떠나야 한다 나는
떠나야 한다

울쥐 울쥐
울쥐~~~
햄 햄 햄 햄~

나.... 햄생
망했다.
오..?
나돈데..
헤에....

요즘 하는
공장 일이
너무 바빠서..
다른 일은
아무것도
못 하겠어..
어.. 정말?

와락!
힘들었겠구나.
그동안..!!
......

뭐 해.. 울쥐?
이런다고
해결되는 건
없잖아..
응응, 그치.
한번
해 봤어,
응.

그럼 적게
벌더라도..
일이 적은 걸
찾아야겠네?
그치... 근데
적당한 게 있을지...

임금의
세계는
극과 극이야..
많이 벌고
스트레스로
죽든지..
적게 벌고
굶든지..

햄아...
난 요즘..
블로그에 이상한
홍보 글 쓰면서
돈 벌고 있어...
뭐야
그거..?
직업이
될 수 있는 거야?

쿡쿡..
요즘 신기하게
돈 버는 동물들
꽤 많아..
너한테도
링크 보내
줄게.
한번
찾아봐.
오.. 고마워.

근데.. 한편으론
내가 나약하게
구는 게 아닐까 싶어..
하루에
2시간 자면서
공부하는
햄들도
있으니까..
나도 그렇게
잠 안 자고 해야..

그건
아니야
햄!!!!!
버럭!
아우 깜짝아!
뭐야?
무슨 일인데?

휴식은...
중요해..!!
네가
중환자실에
실려 가는 건
싫다고...!!
내 말
알겠지..??
응???
씨익
씨익
알, 알..
알겠으니까..
빨대 들고
협박하지 마...

회사를
관두는 것도
쉽지 않다.
미깃
미깃
아...
뭐라고
말해야
되지?

꼭 한두 번
말할 타이밍을
놓치게 되고...
꾸잇 꾸잇
아..
퇴사 얘기
하려고
했는데...
사장님
기분이
나빠 보여..

말을 꺼내기도
쉽지 않다.
저기..... 그........
드릴....말씀이......
있는...데이요오...........
응응,
뭔데?
말해 봐앙~
우리 성실한
햄햄씨~~~♡

저..... 그만
두려고요.......
....

아..... 그래요...
신입
구해 볼게...
죗.. 죄송합닷..! 흐에..

그리고 나 대신
일할 신입이
제발 도망가지
않게 어르고
달래야 한다.
저......
이거는요...
훌.. 훌쩍..
집 가고
싶엉....
아니아니
그르지 말고옹....

집에 가선
다음 일을
생각해야 한다.
솔직히...
감정적으로
그만두는 거야...
괜찮은
일을 빨리
찾아야 해..

세상에
쉬운 일이
하나 없다.
아우
목이 탄다,
목이 타..
벌컥

탓
느깃

쉬운 일이
하나 없다.

후게우웅
다 싫어~~

근데 물 마시는 거는
할 수 있지 않았냐..

요즘은
집에서 하는
일을 하고 있다..
뇨뇨뇽..
뇨뇽..

하는 일은..
이상한 블로그
홍보 글 쓰기..
토도독
토독
감귤 드셔보시라우요
감귤로 프러포즈를 해서 성공함
나름 월급도
받고..
출퇴근이
없어서 좋다.
흐게..

하지만
수익은..
종일 일해도
150만 원
정도...
음....
배달 앱 지우고
외식 금지야..

그래도
이런 일이 있다니
신기하다.
훙냥...
세상엔
정말 신기한
일이 많아...
찾길
잘했어..

일 끝나고
남은 시간엔
꼼지락거리면서
SNS 그림을 다시
그리고 있다.
꼼질 꼼질..

그림은
최대한 내가
하고 싶은 걸
그려 보자..
쓱 싹 쓱
그래야
조금이라도
의욕이 살지..

그렇게 나온
결과물은 죄다
우울한 느낌..
우중충..
어케 된 거야,
내 대갈통...

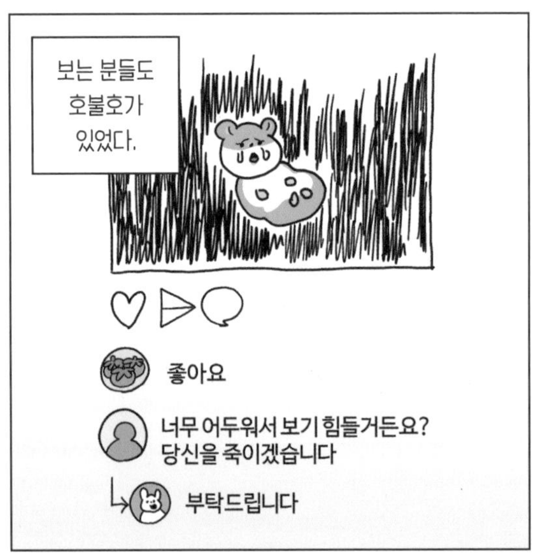
보는 분들도
호불호가
있었다.
좋아요
너무 어두워서 보기 힘들거든요?
당신을 죽이겠습니다
부탁드립니다

솔직히 나도
어떻게 해야 할지
모르겠다.
뭐가
정답인지도
모르겠고..

내 인생도
이게 맞는 건지..
영차..

아마 정답은
죽을 때 돼서야
알게 되지
않을까...

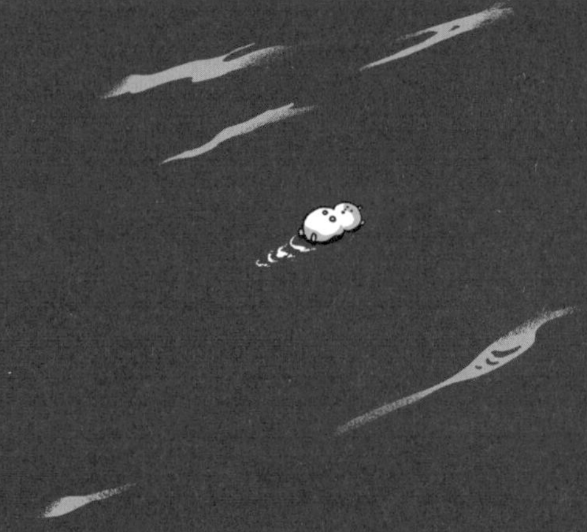

일단은
흐름대로
사는 거야..

후뇨뇨 후 ①

요즘은 돈이 없어서
아무도 안 만나고
집에만 처박혀 있다...
후게

쉬는 날에도
그냥 집구석에서
빈둥빈둥..
후뇨뇨..
후뇨
무이
뒈굴
뒈굴..

가끔 영화 보고 싶을 땐
유튭 영화 리뷰
(결말 포함)으로..
오늘만
이렇게 영화를
6개나 봤네..
솔직히
개꿀잼...

밥은 그냥
생존 가능한
수준으로만..
야물야물
편의점
샌드위치
솔직히
먹기도 귀찮다.

아주 가끔 친구들이
밥 사 준다고 하면
침 고이긴 하는데..
사줄게 나와
주륵
뭣

한두 번 얻어먹으면
마음에 짐이 생겨서
못 한다.
토독
톡...
다음에
보자,
내가
살게...

잔액 0
저축 0
조금이라도
큰 병에 걸리면
치료도 못하고
바로 박살 나는
삶...
개 아슬아슬이네,
내 햄생....

일단 그냥 뭐
아직 젊으니까...
라는 생각으로
삐기고 있다...
뭐..
별일 없겠지..
벅벅..
요즘
잘 싸고
잘 먹으니까..
....아니구나,
다 애매하긴
하구나? 응..

가끔은 마음이
말랑해져서..
싸구려 SNS 명언에
위로 받기도 한다.
책팔이
더 높이 뛰기 위해
웅크리는 시간도
필요..
그치, 그치.
이거지.
개구리네~

휴.. 나도
빨리 한탕
해야 돼...
제대로
벌어야 돼..

그렇게
불안에 조금씩
익숙해지면서

뒤척이며
잠에 든다.

최근엔 가벼운
외주가 들어왔다.
광고 그림
되나용~~??
띠링
어그억
진짜?

이런 일은
처음이라서
이분이 사기꾼인지
아닌지 찾아봤다.
범죄자 조회
투둑
투둑
일단....
범죄자는
아니셔..

그리고 계약서에
사인도 하고..
인터넷
계약서
대체
뭔 말이여?
이게......

요구 사항에
맞게 그림을
그렸다.
에에.. 이게..
이렇게..
인가?

그리고 어찌저찌
완성된 걸 보냈고....
다 했습니닷!
매일
흐갸아..

개 처맞을까 봐
쫄았다......
이게 그림이냐
이 쉐끼야
앙?!!?
이러면
어쩌지..

다행히 그림은
합격.........
좋네용
~♡
호게에에겡..
다행이네용...

휴....
정말
다행이야,
응.
이제
얌전히
입금 날만
기다리자..

그리고
당연한 것처럼
작업비는
입금 날에
입금되지
않았다......
으게겍..
껙..?

돈이 언제
들어오는지
여쭤 보고
싶었지만..
괜히 민폐
끼치는 거 같아서
or 내가 돈이 급한
쉐끼처럼 보일까 봐
물어보지 못했다.
일...일단
기다려 보자...

입금이 되기 전까지
사기 당한 건 아닌지..
매일 손톱을
물어뜯고..
머리를 쥐어
뜯으며..
요구 사항에 맞게
그림을 그렸다.

그렇게
하루하루
피 말리는
영겁의
시간을
보내고....

띠링..
아.........
입금....
됐다?
늦어서
죄송합닷~!
잠깐 일이
밀려서용~♡
아...

정말....
다행이야......
근데..
프리랜서들은..
다들 이렇게
사는 건가..?
쉽지 않네...
흐이..

어느새부터
해야 할 일이
점점 많아지고
있다..
아.. 이거
어떡하냐?

이 블로그 홍보 일을
한 지도 거의 9개월째..
딸기 함 잡솨보이소
딸기의 옥시토신 함유량
토도독
곧 1년
째네..
시간이
왜 이래?

처음엔
꽤 널널했다..
개꿀..
여유도 있고
편했다.

하지만 시간이
지날수록...
이것도
해 주세요!
네...
네엡!!
저것도
해 주세요!
요것도요.
업무가 추가되고
추가되고
추가되면서..

지금은
10시간 동안
궁둥짝 하나 일으킬 수도
없을 만큼 바쁘게 지내고 있다.
빨리요
빨리~~
쉬야 쌀
시간도
갖기 어려운
거냐고!!!!!!

그 스트레스는
신체적으로도
나타났다.
지끈..
목: 꺾일거 같음
우직...
어깨!
박살 날거
같음
후...
빵댕이
호떡 됨

업무가
다 끝나면
너무 지쳐서
다른 일을
할 수 있는
기력이
남아 있지
않았다..
으어
어

물론..!!!
이렇게
돈을 벌 수
있다는
거는..
감사할
일이야..!
나에게
정말 소중한
수입원이지
아무렴..!!
최고야..!
응..!!!

하지만 이젠 쫌
그만 하고
싶은 뎁숑???
느히이

햄은 점점 퇴직금 생각으로
버티는 날이 많아졌다..

오늘부로
일을 때려치웠다.
후기늉~..

이번에도
역시...
감정적인
일이었다..
헹......
기분은
좋은데..
나..
괜찮을까?

물론 나름대로
계획은 있었다.
나에겐
퇴직금도..
외주 수익도
조금 있으니까..

두 달 정도는
버틸 수 있지..
그 두 달 안에
그림을 그려서
'내 그림'으로
수익을 찾는 거야..!

그래,
두 달 만에
햄생 역전을
노리는 거다..!!
처억
헤엣!!

라는 생각이
며칠 전까지는
확고했는데....
끄오오오오
이렇게
막상 부딪히게
되니까.......
헤게겍..
쬐끔
무섭잖어...
응....

하지만 이젠
돌이킬 수
없다....
더 이상
인생의 갈림길을
피할 수는 없다..
Do or DIE
안 가면
죽어요~~~
후갸아

항상
우물쭈물
하면서..
우물이
쭈물이
제대로
사는 걸
미루기만
했던 삶...
이젠 모두
청산해야 해..!!

이젠 진짜!
제대로
살지 않으면
죽는 거얏!!!!
좋앗!!!
제대로
가 보자곳!!

물론 그 전에
해바라기 씨에
맥주 좀
마셔 주고
말이쥥~~
츄릅~!
설치류
맥주
햄라
황올해써
햄스
햄빵
햄편볼
과연
햄햄이의
미래는..!?

오늘부터 나는
'진짜' 제대로
살기로 다짐했다..!!
진짜
농담 아니고
진짜 제대로.
꽈악..
응!

그렇다..
나이를 먹으면
갓생은 선택이
아니라 필수다..
제대로 살래요~?
아니면 죽을래요~?
갓생의 길
세월
아 좀,
잠깐 좀!
아오~ 좀!

지난날..
나는 미친
햄이었다..
절제 없이
먹고...
와구
야구

늘어지고..
무이

과하게
자책하고..
아유
진짜...
흐으~

척
오늘부터
나는....
그 어떤
유혹에도
흔들리지
않고..!
할 일에만
집중할
것이다..!

스윽..

그렇게
1시간..
2시간..
3시간..

....이 지난 줄
알았지만
겨우 10분
지났다...
젠장
시간이
이렇게
느렸어?

뭔가...
지금 여기서
유튭 한번
보고 싶은데..
에에
쓰-윽..

아니 안 돼..
대신 과자
먹을까..
아..
안 돼..!
왜 이러지..!?
스윽
스윽

지난날...
망나니로 살았던
과거의 과오들이..
현재 햄쥐의 발목을
붙잡고 있었다..
마지막으로
오늘만 놀자앙
폰 게임
한 판?
맥주
한 캔?
이것은
떨쳐내고
싶어도..
쉽게 떨어지지
않는 것들이다...
과자
한 봉?
드라마
한 편?
SNS
순회?
그만큼
생활을
바꾸는 건
쉽지 않다..!
나 좀....
제대로
살아 보자..
겨우
다짐
했다고.
헤헹

현재는 과거의
연속이다.
햄!!!!!!
이 굴레에서
죽을 때까지
발버둥쳐라,
햄!!!!!!
끼
용~
날 좀
가만히
내버려둬잉..
(자신에게 하는 말)

하루하루
자신과의
싸움에서
겨우 버티고
있다.
헤렐렝...

제대로
살려면...
1시간도
허투루
보내면
안 돼엣..
뉴후웅..
끼적 끼적...
오늘도
열심히
할 일 하자..

동시에 또 너무
과하게 일하면
안 되지...

최대한 열심히..
동시에 과하지 않게..!!

그 미쳐 버린
줄타기를

끊임없이
유지해야 한다...

물론, 어디가
적당 선인지는..
스스로 찾아야 한다.
어...
이게
맞나용!!
대롱~
응~~
너 알아서 해~~
너 말곤
아무도 몰라~

그야말로..
외롭고..
고되고..
끝이 안 보이는
싸움..
뉴히힝...
햄쥐
살려엇~~

조금 쉬고 싶어도..
돈 때문에 걱정돼서
못 쉰다..
이그...
주접
그만 떨고..
일하자..
끼잉..

휴..
그래도
오늘 열심히
살았어....
쫑깃
쫑깃
사실 이번
일주일간
잘 버텼지..

벌써
잘 시간
이지만..
PM 11:00
오늘은
1시간만
즐겨 보자..
츄릅
그래도
괜찮겠지...

그렇게
새벽 5시까지
즐겨 버렸다....
AM 5:00
에......
이럴 생각은...
없었는데...
시간이
대체 왜...???
정신 빠졌냐,
햄????

햄생이
만만해..??
정신 바짝
챙겨라,
햄...!!!
말도 안됏..
나 내일
어떻게 살아...
뭘 어떻게
살아..
울면서
살아야지.
흐기잉...

요즘
내 햄생이
박살 나 버렸다.
뉴헤헹...

며칠간
열심히 살긴
했는데...
열심 열심
설치류용 커피 1L
자양 강장제

실수로 하루
새벽까지
놀아 버렸다..
AM 5:00
아?

그날 이후로는.....
하루 루틴이 제대로
박살 나 버렸다.....
우뇨..
뭐냐...
나 또
오후 1시에
일어난 거야..?

일어나자마자
피곤한 몸뚱이로
하루를 시작한다.
으게으..
빨리
일해야지..
어기적..
어기..

대충 한두 시간
앉아 있으면
슬슬 배고파진다.
꼬륵륵르르르
아잉

해씨
파자
촤르르..
먹기
귀찮앙..

딱히 정해진
식사 시간은
없다.
포솝
포솝..

배고프면 먹고
졸리면 눕는.. 그런
짐승 같은 삶.
(짐승 맞긴 하다.)
에

"이건 아닌데..." 싫어도
쉽게 못 벗어난다.
쓰윽..
아...
일은
끝내고
자야 돼...

근데
이러다간 또....
늦게 자게
될 거 같은데..

이 무간지옥의 흐름에서
어떻게 벗어날 거냐,
햄...!!
휘우우우우..
나
돌아 버려,
진짜~~~

하지만
나는 정신을
차려야만 해.....!!!!!!
두웅..
갑자기
뜬금없이
의욕을
다지는 햄!

최대한
일을 빨리
끝내고..
무이이으
쓱싹쓱

뜨거운 물에
몸 좀
지지고.....
뜨-끈
프후...

고대로 이불로
처박힌다.
푸농
메엥

메헤헹...
그래도
오늘 나름
일찍 누웠어..
이제
빨리 자면
수면 패턴이
맞춰질 거야.

퓨...

....

대체 왜
잠이
안 오는
건데요..
뿌늉...
대체
왜에....

원래
일정이란 게
이렇게
유리처럼 쉽게
박살 나고..
으으..

복구하기가
어려운 겁니까...??
흐게엥..

그렇게 울다가
자기도 모르게
자고 일어난 햄.
에?
뭐야...
왜 아침?...

그리고..
이상하게
컨디션이
좋다....
오?...
뭐지..
기분
좋은데?
뿌줏 뿌줏

와우..
좋다..!
과연 오늘부터
제대로 살 수
있을 것인가!

오케이~
그럼 일찍
일어났으니까..
핸드폰
딴짓 좀 하고
하루 시작
해야지..
부히힝
톡톡톡..
뭐 하냐?
햄??????

곧 심판의 날이
다가오고 있다..
소중한 백수 생활이
끝나가고 있다..
오돌돌
오돌돌...

일을 그만두고
두 달간 그림을
그리기로 했던
지난날...
꿀꺽...
혼돈이었지...

이제 곧 그 두 달의
시간이 끝나간다...
심판의 추
후뉴우우웅...
미치겠네....

두 달간
내가 해 온 건...
22개의
그림 게시물..
잉? 뭐야,
꽤 했잖아?
괜히
뿌듯?

그리고....
수익 제로...
긁적
긁적
긁적
긁적..
음.......

그 어떤 외주도,
합격 소식도
없었다...
흠냐.....

여기저기
찔러 보긴
했는데.....
다 망했지...

그래, 쿨하게
때려치우자!
이 정도면
재능이 없는 거야.
슉
오케이,
이제 딴 일 한다.

....

아니 근데
포기하기
싫어용~~~
뮤게
에에
에에
엥…

훌쩍..

울쥐나 볼까..
갑자기 보고 싶네..? 응.
삐뽀뽀
삐뽀

삘렐
렐레
렐
렐

달칵
울쥐~
한번 볼까?
응, 지금
나갈게.
뭐, 바로?
오.. 오케이!
와우..

앵알 앵알 왱알

그러니까.. 두 달을
날려 버린 거 같다?
끄덕!

열받겠네..
응..

그렇다면 우리가
해야 할 건 하나야.
응? 뭔데?
뭔가 있어?

폭음
폭식.
와우
짱이다

함바 함바

와물 와물
해씨
맥주

우왐냐 왐냐

와....

휴... 즐거웠어,
울쥐...
응!
또 필요하면
연락해.
오케잉.. 너도.

끼익...

쓱
영.. 차...

휴.. 역시.. 음식을
아무리 먹어도..
공허한 건
안 채워져..
좀 덜 먹었나?

내일이면 다시
아르바이트를
구해야겠다..
흐에에...

쿠울...
지잉...

Mail
포트폴리오 잘 봤습니다
심사에 합격되었습니다

잇선의 편지

우왕! 햄이 합격 메일을 받았네요.

합격 소식을 들을 때 기분이 정말 이상하죠?
이게 진짜인가 싶고, 왠지 머리가 뜨거워져요.
혹시 몰래카메라 아닌가 싶어서
주변에 숨겨진 카메라가 있는지 두리번거리기도 하고요.

맞아요, 저도 그래 본 적이 있습니다.
바닥을 기면서 샅샅이 카메라를 찾아 봤어요.
다행히 카메라는 없었습니다.

합격 소식을 받기 위해 고생했던 일들을 떠올리면
괜히 울컥하기도 하고 그렇죠.

뭔가 앞으로 미래가 탄탄대로일 것 같기도 하고..
호호홍.. 하지만 그것도 역시 한때죠.
시간이 지나면 여러 가지 마음도 들면서
또 다른 생각이 들기도 하고요.

어쨌든 그 순간의 기쁨은 뭐랄까..
정말 복합적이라서 말하기가 어렵네요.

한 가지 사실을 말하자면,
제가 네이버에서 연재 소식을 들었을 때
핸드폰으로 그 메일을 봤었는데 그때 서서 오열했어요..
갓 태어난 아기처럼요..

독자님들에게도 좋은 일이 많기를 바라겠습니다.
햄에게도, 저에게도요. 뇨호호호홍..

3장

세상이 참
잔인할 정도로
심플해.

합격 소식을
받고, 몇 분간
맛이 갔었다.
머엉…
에으어..?
에..??

합격을
축하드립니다
새회사
마케팅부서
이게..
보이스 피싱이
아니라고?

몰래카메라
아니지 이거?
휙
휙
휙
어이
나와!!
의심되는 현실..
그리고 점점
진짜라는 걸
알게 되면서..
이거..
진짜로
진짜..?
어..
어으..?
에...
몸이 뜨거워지고..
심박수가
높아지고..
마맛..
두근..
두훈..!
말도
안돼!!

과거의 고생했던
지난날이 빠르게
지나가면서...
메엥...
호갸이잉
오갸아
냇..내가 아르바이트
하면서.. 힘들게
그림도 그리고..응..?

눈가가..
촉촉해진다...
글썽...
흐게잉...

나.. 취직 했쓰엉~!!!
왈칵!
그리고...
오열..
또 오열..!!

뉴오옹..
그렇게 한참을
감정에
빠져 있다가...

이윽고
차분해진 다음..
훌쩍..

아...뭔가
이 감정을
나누고 싶다..
누구 연락할 데
없나..?

타다다닷
뭐해?
뭐해?
뭐해?
뭐해?
후후후
뜬금없이
연락 백 개
돌리기~

헤.....

.....

아무도.......
답장이...
없어...

그동안..
집구석에 박혀
일만 하느라...
내가 너무
멀어졌나...
울쥐도
바쁜 거 같고...

뭔가……
외롭네….

띠링
응~ 햄햄이 왜~??

오오.. 오~

내가 이번에
회사를 들어가게
돼 가지고…
토도독
오오..
취업 턱 가나요~

요우요우 햄햄이~!!
축하해~~!!!
느헤헤

그래서 거긴 어디야?
좋은 회사야??
대기업이지?
와 성공했네!

아니 그냥
신생 회사야..
어...
신생...?

어... 거기
괜찮아 보여?

응... 뭐..
좋은 분들
같던데..
아..하..

월급은 괜찮고..?
그.. 박봉이긴
한데.....
에..??
박봉..?

뭐.. 그래도 작가로서
첫 스타트니까..!!
그치 그치,
응응.
그래.. 맞아. 응.

어.. 어쨌든
축하해...!!
짜안
어어.. 와아~

홀짝...
축하가...
굉장히
무거워......

츄붓
츄붓..
헤....

합격 사실에
도취돼서...
내가
신중하지
못했어...

그 회사가 어떤
회산지도 모르고
그냥 들떠서...

나.........
괜찮..을까...?

오늘도 햄쥐의
불안감은
싱싱하다.
사는게...
무서워엇..~~
후기잉~~

오늘은 회사
첫 근무 날..
후우우우
긴장
돼에엣!

내가 하는 일은
재택근무다.
토실...
집에서 책상에
앉는 게 출근..
너무 꿀이야..

오늘 온라인 미팅
하기로 했으니까..
쓱쓱
얼른
준비해 보자.

각도가
이게....
쓱
쓱
얼굴이..
왜 이러지?

확 그냥
쥐어박고 싶네.
아으~
콱

진정하고..
적당히 높게..
적당히 멀리..
쓱 쓱
오케이..
좋았어.

회의 시작
딱
각도는
망했군.

안녕하세요~
안녕하세요,
헤헤헤헤~

아..
그런데
이분들?

괜찮은 거
맞나...?
수 척?.. 퀘 엥..
다들.. 울기
직전 같아..

어쨌든 정신없는
회의 타임이
시작됐고...
예? 마이크 소리가
작다구요?
제가 그럼!!
크게!!!
말할게요!!
아뇨, 마이크 볼륨을
올리시면...
아

회의가 끝난 뒤,
본격적인 회사
업무를 시작했다.
앗.. 이게 맞나..?
이거
맞아..?
타다닷
해.. 해 보자.
으에에..

쉽지는
않았지만
다.. 다 했습니다!
타앗
아~
좋네요!
나도 어딘가
쓸모가 있다는
느낌이 들어서
좋았다.

이제 이것만
정리해 주세요.
수고하셨습니다.
아 넵!
고맙습니다.

휴~
일이 겨우
끝났네..
살짝 잔업만
마무리하면 되겠다.

빨리
끝내 보자고!!
처어

잔업 3시간째....
퀘엥...
타닥...
타닥...
아.. 잠만 잠만..
왜.. 안 끝나냐..?

새벽 1시..
타앗
휴
겨우 끝..!

와.. 양치만 하고
자야겠네..
음.. 이거
괜찮겠지..?

내가 아직
미숙해서
그런 거야,
응.
긁적

일할 수
있다는 게
어디야?
힘내자!

다음 날 퇴근 후
잔업 4시간째
부들부들..
타다닷 타닷
어...
왜...
퇴근을 했는데
퇴근이 아니지..?

아니 내가 느려서
그래엣!!!
내가 너무
부족햇!!!!
버럭!!

약해지지 마
햄!!
짜
앗

일주일째
잔업 5시간째
추욱...
에에..
오.. 케.. 이..
뭐.. 좋아...

바쁜 시기가
지나면
나아지겠지..
그래..
힘내자..

회사 문제는
아니야...
내가
잘해야지.

나..
쓸모 있는 거
맞지..?
달
칵...

위이잉..
위이잉...

나.. 쓸모 있는 거
맞을 거야...
위이잉...
치익..
치익..
진짜햄
분쇄육
누가 그렇다고
해 줘....
ployd pink
햄쥐...
진짜 햄 되지는
말자고...!!!

취직을 하고
주변 평판이
달라졌다.
녜혜.....

먼저 부모님
저 왔어요~
키야~~ 우리
'번듯한 직장인'
햄이 왔냐~~
쭈뼛
때깔 좋네~~~

우리 햄이가 말이야.
이제 번듯한 회사에 들어가서
돈을 번다니까~~??
아.. 하하..
아녜요...
와~ 대단하네!

앞으로 100년 동안
거기서 일해라잉~??
그렇게
오래 못 살아요..
이제야 햄 구실을
하네~ 으이~??

친구들
사실 걱정 좀 했는데
잘하는 거 보니까 좋다.
벌써 3개월 됐나~?
멋있어, 햄~
존경한다공~~
그런 거 아니야..

적성 살리는 거
진짜 쉽지 않거든~
맞아!
대단한 거야.
전혀...........
매일 야근에..
힘들어 죽겠어..

아니!!!!! 넌 대단한 거야!!!
앙!!!!!??????
탕
넌 최고라고
이 녀석아!!!
왜 이래!!!
진정해!!!
버럭!

"난 최고"라고 말해!
이 자식아!!!
콱
난 최고야!!
빌어먹을!!!
받아들이라고,
햄~~

휴.. 뭔가 다들 반응이
부담스럽네...
난 아무것도
아닌데..

하지만...
츄릅스
묘하게
기분 좋아.

더 해 줬으면
좋겠엉..
느히히..

헤..
직업 하나를 가진 걸로..
이렇게 대우가
달라질 수 있구나...
세상이 참...
잔인할 정도로
심플해..

어쨌거나
일도 열심히
살아 보자.
일은 죽도록
힘들지만..
안 하는 거보단
낫겠지..

게다가 내일은
월급날이고..
쿠울..
헤헤..
헤....

다음 날
월급이......
안 들어왔네..?
긁적 긁적..
원래 아침에
들어왔는데...
에.......

일단 일을
해 볼까..?
어기적...

응..?
채팅
회사
대박...
999+
딸기배송
딸기 갑니다
뭐지..?
왜 회사 단톡방이 폭주하고 있어?

회사
아.. 확실히 회사가 망한 거 같아요.. 그럴 거 같긴 했는데..
아.. 천국 가야겠네요
예?
아르바이트 천국이요
아
!!

회사가.. 망해?
마마맛
말도 안 돼!!!
나 월급
못 받는 거야..?
그그그그그그럼
월세랑 생활비는..??

전화하는 거
너무 싫지만..!
빨리 사장님이랑
통화해야겠어.

지금 거는 전화는
없는 번호로...
어어..어..
오??

내돈 내놔
이 시키야!!
버르억
쿠헹~

헉.. 헉..
아니..
사실 돈 문제도
있지만...

이 일을
잃어버리면
난....
난....

또다시
천하의 놈팽이, 찌끄레기,
아무것도 아닌 똥 찌꺼기
햄스터가 되는 거잖아..
흐우이이이....

그건 정말...
싫어용....

일단 생존을
해야 한다.
느아아아앙
뭐가 됐든
일단 해야 돼에엣..!!

회사가 사라지고
생활비가 급해졌다.
잘근
잘근
잘근
홱
홱홱
꼼질
꼼질꼼
아으

하지만 역시 쉽게 구할 수
있는 건 어려운 일뿐...
임상실험(사망 가능)
코끼리 똥치우기
72시간 택배 상하차
술집 서빙 (저녁타임)
콜센터 전화 지옥
미치겠네..
그나마.. 서빙?

저.. 모집 글 보고
왔는데요...
언제부터
일할 수 있슈?

언.. 언제든
가능 합..!
그럼
바로 하쇼!
예..?
아 넵!

그래도 다행히
금방 일을 구했다.
후들후들
호두튀김
한 빠께쓰 더!
예엡!!!
우왁아아

그 일은 육체적,
정신적으로
고된 일이었다.
어이! 햄!!
웃으면서!!
씨…씨이익…
흔들흔들
으..
으헤네…

너무 바빠서 자기
자신에 대한 생각
따윈 할 틈도 없다.
어이!!
띵-동
갑니다아!!
젠장할
자식들아~~!
후다닥
너 속마음
나왔엉~

집에 돌아갈 땐
역시 모든 에너지가
사라진 상태...
팔랑..
팔랑..
으어어...

그리고 이불에 쓰러져
있을 때 문득 깨닫는다.
추욱....
아... 아니
잠깐만..

내가 하고 싶던 일이
있었는데...
뭐였더라...
그........ 뭔가..
있었는데...

하지만 어림없지,
고민할 틈도 없이
바로 잠에 빠진다.
퓨르르...

아르바이트
일주일째..
요즘 정신이
빠져 있다.
메엥...

큰 사건을 겪고 나서
잠깐 맛탱이가 갔달까나..
어기적..
으갸갸..
으갸...
일 가야지...

정서적으로
지쳤달까나..
착
잡
잡..
니히힝..

물론 일할 땐
다람쥐처럼
움직인다.
여기
한 병 더!!!
예엣!!
젠장!!
남에게 피해
주는 건 싫잖아..

8시간 일을
끝내면 또다시
소강상태.
팔랑...
니이잉...

아무런 감흥도
생각도 없는
껍데기만
남은 상태다..
아....
으....

한잔할래?
쳐
억..
햄주
응? 어..
응!
치
익
꼴
꼴
꼴
꼴
깍

키야....
그 맛은 역대급으로
짜릿했다!

왜 이렇게 시원해,
이거!!!!!!
벌떡!!
몰래 1시간쯤
냉동실에 넣어 놨지.

우리끼리 한잔하러
갈 건데 같이 갈래?
데려가 줘엇!!!!

노동 후의 맥주는
최고의 위로였다.
키야앙..
최고 잡아, 이거...

햄은 "이래도 되나?"라는
생각조차 들지 않았다.
나 더 줘엇!!
나도옹~
나도.
이미 너무
즐기고 있었다.

마셔라 마셔!
이상하게 엉망이 될수록
즐거운 기분이 들었다.
니 헹헹힝..

어느새
술쟁이가
돼 버렸다.
무이힝..
설치류칩

변화는 천천히
찾아왔다.
오늘도
마셔 볼까~
무조건.
니힝힝
벌써
좋아잉~

일 끝나고 가볍게
즐기는 최고의 위로.
키야
이게
힐링이다앗!
이게
위로지~
메헹
좋아용~

그리고 집에 돌아가는 길에
왠지 아쉬운 마음이 들고..
아... 뭔가
작은 캔 하나
땡기는 뎁송..

편의점에 가면 너무
많은 유혹들이 있다.
아.. 하나만
사려고 했는데
세일
4개
만원
이건 안 사면
예의가 아닌 거잖아..

그렇게 집에서
홀짝거리는
날들이 많아졌고..
와작와작
무엥...
너무 좋아잉..

나중에는 그냥
습관이 됐다.
좀 더운데 시원한
'음료수' 하나만
먹어야겠다.
치익
칙
이건 확실히
음료수지.

그러다 보니까
뭐랄까나....
안 마시고
잠드는 날엔
좀......
흠.....
뭔가 좀....
허전한데..?

덜컹

꼴꼴꼴꼴꼴

키야아!!
이거지.
이제 잘 수
있겠네!

후헤헹..
드디어 잠이 온다..
그렇게
알코올 의존증이
되어 간다.

사실 마음 한편엔
이미 알고 있다...
푸우...
나.. 계속 이러면
위험할지도?

하지만 다음 날
너무 바빴다, 진짜.
오늘은 마셔야 돼.
쓱
흐물렁…
쓱
무조건이지!
좋아용~~

술친구들 사이에선
이상하게 마음이 편하다.
나 좀
잘게~
피잉…
사진
찍을게~
찰칵
으헤헤
전부 엉망인 게 좋다.

얘네들이랑 놀 땐
체면 따윈 신경 쓰지 않는다.
느하하하하
펄쩍
펄쩍

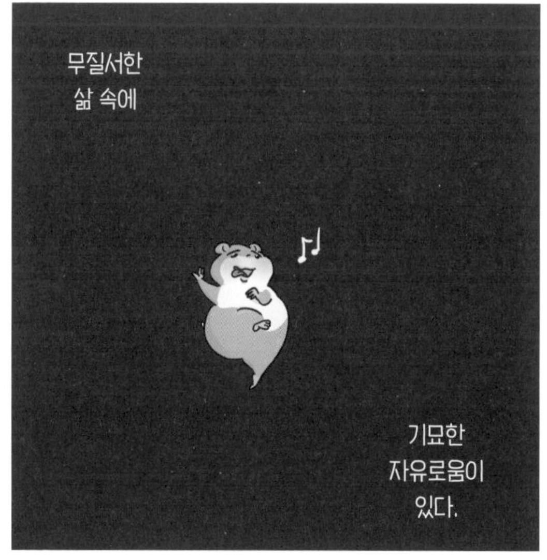
무질서한
삶 속에
기묘한
자유로움이
있다.

와, 오늘도
재밌었다.
에.. 아침이다.
난 집에서
또 마시려고.
좋아잉~

하~~~
재밌었어...
그나저나...
나....
그림 안 그린 지도
오래됐네...

이래도 되려나..
모르겠당~~~
후앙
꼴꼴꼴꼴

푸헹헹헹헹..
진짜..
모르겠어용~~
푸흥흥흥 흐흑흑..
희로애락의
중심에서
오늘도 햄은
방황하고 있다.

얼탱이가 없지만
정이 가는 친구들.

뀨히힝

무히

에

메에

거의 3개월째 일 끝나면
같은 친구들과 술을 먹는다.
니힝힝힝히 좋아잉
원래 저녁만
먹으려고 했는데..
다 그렇지 뭐.

이 녀석들은
다 제정신이 아니다.
그래서
좋아.

얘는 프록.
빼는 게 없다.
심심한데
밤새 마실까~?
좋아용~
얘는 다 좋대.

프록은
노래를 잘한다.
히예에에
개에에구우울
와... 멋지네!
진짜 개구리 같네.
농담 안 하고
리얼 개구리 같아.

한때 밴드 보컬을 했다가
밴드가 해체되고
요우 요우 요우
요들레이히야~~
혼자 가끔
개인 작업을 한다고 했다.

이 친구는 림보.
잘 울고, 잘 먹고
스킨십을 좋아한다.
흐아앙
힘들었겠네~~ㅠㅜ
그치..
이따가 우리
뭐 먹을까~~ ㅠㅜ
블루베리..

림보는
림보를 잘한다.
이게
된다고?
유연
한때
체조 선수였으니까.
얼마나 천재였던 건데?

이 친구는 커트.
자기만의 심오한
세계가 있다.
사는 건 고통이고
사회는 지옥이야.
진지
얘 왜 이러니?

커트는
다재다능하다.
난 살기 위해
뭐든 했어.
한 손으로
계란도 깰 수 있어.
이거 봐.
뽀각
와우..!
근데 그냥
두 손으로 깨도
되지 않아?

이 친구들이
가진 고생들은
왠지 모를 동질감과
친근감을 일으켜서 좋다.
사는 거
열받지 않냐~
너무 열받지~

얘네들 앞에서는
나도 긴장이 풀어진다.
근데 넌
뭐 하다 왔어?
나는
그림 그렸어.
느엥??????

번엉...
보여 줘.
에?

뭐..... 보려면 봐..
여기 있어.
우와!
좋앙~
오오!

빠――――안
......

체념했다고
생각했는데..
꿀..
꿀꺽...
괜히
긴장되네...

오케이, 다 봤다.
오?
그.. 그래?

별거 없지?
똥 찌끄레기
수준이야.
아니, 그거보다
못하지. 이건
비료도 못 되니까..
이건 뭐 그냥..

넌 다른 일 말고
그림을 그려야 될
햄이다.
어?

차.. 참놔!
하..!
뭘 내가
무슨 그림을 그려~
됐어~!
실실
하~
진짜..
넌 크게 될
햄이야.
나 이거
프사로 해도
됌~?
이거
좋아용~
....
오늘도
잘 놀았다.
오케이-
내일 봐~
.....

햄은 오랜만에
마음 깊은 곳에
어떤 변화를 느꼈다.
뭉클...
내 그림이
괜찮다고..?
느히이...
나.. 다시 열심히
해 볼까...?

너는 그림을
그려야 할
햄이야.
흐어..
왜 자꾸
생각나지,
바보같이?
라는 말을 듣고 나서
그 말이 자꾸 생각난다.

걔는 그냥
아무 생각 없이
한 말일 수도 있는데...

망상
내가 그런
말을 했다고???
장난하냐!!!!!!
기억도 못 할 수도
있잖앗..!!

....

하지만 그 말이
사실이라면?????
두웅..

돌이켜보면 가끔씩
이상한 생각이 들긴 했다.
에...
내가 여기서
뭐 하는 거지?

마음 깊은 곳에선...
내가 있을 곳은..
따로 있지
않을까...???
라는 생각을 했었다..

하지만 그런 생각은
그냥 무시했다.
아우 또
별 생각!
아으
주섬
주섬
쓰레기나
버리자.
나 같은 애가
무슨 어이구
참나!!

혹시 내가
내 천재성을 스스로
억제하고 있던 거라면?
반짝
물론 말도 안 되지만
진짜 그렇다면?

꽈악..
안 되겠어..
나...

이제 진짜 리얼로
제대로 산다...!
술도 끊고..!
그림도 그리고..!!
일단 집에 있는
술 다 버리자.
벌컥
다행히
얼마 없네.
어디에다
버리지?
두리번
두리번
아니
버릴 데가..
휙
휙
휙

일단 내 위장에다
버리자.
꼴롱
꼴롱
음.. 음...
음 야미
으음 야미

겸사겸사
사리사욕
좀 채웠고..
퓨우..
이제 제대로
해 보자고.

스
윽

근데…
망치면 어떡하지?
꿀꺽…

또 내가
쓸데없는 짓을
하는 거라면?
아우
미치겠네.
윽
부들부들
부들
왜 이렇게
어렵게
느껴지지..?

아, 몰라
그냥 해버려으
츄
차
찹
차
느얏
얏
얏

막상 시작하니까..
흐름을 타기 시작했다.
어?
오..?
쓱 쓱
쓱
쓱
해 보니까...
하게 되는데..?

그렇게 몇 시간이 지나고..
햄은 자기 일을 하면서
느 헤헤헤..
꽤
좋은데...?
왠지 모를
안정감을 느꼈다.

내가 있을 곳은..
아무래도
방구석 책상 위
아닐까....
요히히히
여기가
제일 좋앙..

나.. 다시 힘내 보고
싶어..!!
불
끈...
이미 만 번째
다짐하는 거 같긴 한데
이번엔 진짜로 진짜..!

또 리 ㅇ
응?

햄 한잔할래?
아

거절하면..
실망할 거
같은데..
아.. 어쩌지..

아..으..
끼잉..
과연 햄은
다짐을 지킬 수
있을 것인가?

오늘도 흥청망청
마셔 버렸다..
촵 촵...
니거깅
깅깅...
약속을
거절하기
힘들었쒀..

술 마시고 남는 건
숙취와 부은 간땡이..
지끈
지끈...
부글부글..
으앙....
머리랑 배가..
미치겠네...

이 상태로는 바닥에
붙어있는 거 말곤
진짜 아무것도
못한다..
철썩..
아... 으..
할 거
많았는데..

슬슬.. 술자리도
질리기 시작했다.
으 게..
1차 밥집
2차 술집
3차 노래방
4차 국밥
매일
이러네..

얼른 내 삶을
제대로 살아야 하는데..
흐느적...
계속 이대로면
끝이 없어..

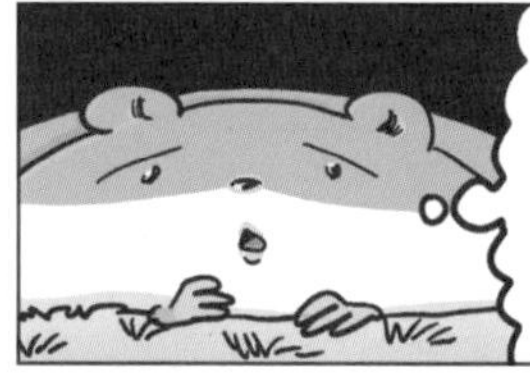
역시 제대로 살려면
술친구들을 끊어 내야
하는 걸까..

잘 가라.
후뇨오오오오오오
어떻게
네가~~~

그건 꽤.......
어려울 거
같은데요옹~~~~
훙기뇨옹
너무
냉정하잖아~~~

하지만.....!
생각은 해 봐야겠어..
지끈..
언젠가 어려운 결정을
해야 될지도 몰라..

다음 날
와~~ 오늘도
힘들었다.
그러게..
오늘도 마셔 줘야지~
좋아용~~

햄 너도
갈 거지?
어..?
나..?
아......
저기 그..
뭐냐 그......
응???
왜 이래?

난.. 안 가려고..
잉?
엣?
멧?

고요....
아.. 으..
아...

왜?
약속 있어?
지금 무슨 일이
일어나고
있는 거야..??
덜덜...
무서워용...

그긋.. 그게
아니고..
뉴우웃...
그냥 집에서
그림 좀 그려 보려고옷..!!

아....

오케이!
그럼 방해하면
안 되지.
우리끼리
가자.
슬금 슬금
어어..

화이팅!
아쉬워용...
자박 자박...

달칵…
어쩔 수
없었어…

그렇게
집에 와서
돈이 될지도..
안 될지도 모를
요상한 그림을
그리기 시작했다.
슥
슥
슥

이 고독감은
내가 버텨야 할
몫이겠지..?
덩그러니..
흐이이잉....

내가 성공해서..
돈 많이 벌어서...
주변 친구들
챙겨야겠다..
끼적..
끼적..
....돈 벌 수 있긴
하겠지....?
제발 벌어야 돼...

어쨌든 지금은
혼자 있어야
할 때야..
슈오우우..
햄.. 다시
심연 속으로..

살기 위해
소중한 거
포기하기.
느게엥...

약 3개월간 정신없이
어울리던 친구들.
놀아~
놀아~
살랑
살랑
쫑긋
쫑긋
무헤헤헤
다 잊고 기냥
즐겨버렷~~

이젠 없다.
에?

할 일을 하려고
그 친구들에게서 벗어났다.
햄~ 오늘도
바빠~?
밋.. 미안
오늘도
못 갈 거
같아..

그러다 보니 일자리에서 만나면
그 친구들도 차가워졌다.
햄, 너는
안 마실 거지?
어어..
응..
오케이.
화이팅~

일이 끝나면
당연한 것처럼
혼자 남겨진다.
달칵
후뉴...

혼자 집에서
어두운 그림을
그리고 있을 때면
옛날 생각이
난다.
고오오오오..
아아..

그땐.. 개판이었지만
재밌었지...
느헤헤헹
니헝헝히
헤에...

이젠.. 삶의
무게를 짊어
져야 돼...
쿠
웅..
에에...
에...

하지만 제대로
살려고 할수록...
이상한
압박감이 든다..
쿠구구궁..
으웅...!!!

어떻게든..
성공해야 돼..
쿠웅...
으읏
압박 5배

성공이 아니면
친구도.. 뭣도..
다 잃게 돼..!
쿠우웅...
누우웃...
압박 50배

심지어 가족들 눈도
못 마주치게 돼..!!
쿠우우웅…
느그아읫..
압박 500배!!

그런 마음으로
약 2주째 그렇게
지내고 있다.
아우 허리 아퍼.
끄응...
너무 오래
앉았다.

내 일상은 그저
일
웃
집
엣
집
엣
웃
일
이 쳇바퀴 속에
쉴 곳은 없다.

힘들지만
다른 방법은 없겠지..
요즘은
말랑한 세상이
아니니까..
꾸늉..
누구나 부업을
생각하잖아.
말 그대로...
성공 아니면
죽음이야....
뉴후후훙...
세상이..
무서워잉....

어쨌든.. 그렇게
울면서 살고 있다.
할 일 하자..
부스스…
흐기이..
이 외로운 세상에서
혼자..

띠링
에

울쥐
햄~ 보고싶어

……

울쥐 사랑해에엣!!
왈콱!

워우 워우
햄~~
쫑 쫑 쫑 쫑
요즘 '성공 압박'을
느끼고 있다고?
응..

나는 크게 성공하지
않으면 답이 없어..
돈이 모이는 것도
아니고..
울쥐,
넌 안 그래?

나는 압박감
딱히 없어..
이미 성공
했으니까.
에??????

널 만났으니까.
이미 성공한 거라고
볼 수 있지..

너 혹시.. SNS에
힐링 글, 감성 글
자주 읽니..?
..큭큭
가끔 읽어..

압박감 자체는
나쁘진 않지만..
네가 건강했으면
좋겠네...
건강은 이미
찢어졌지.
엣???

안 되겠어 햄..
필요할 때마다
언제든지 연락해!
내가 뭐든
해 줄게!
진짜..?

뭘.. 해 줄 수
있는데..?
....
....
뽀뽀?

....
....
........미안.
....아냐.. 고마워.

울쥐 너는 뭔가
여유가 있어 보여..
착실하게 저금도
하고 있지?
아니, 전혀.
에?

그.. 그런데 어떻게
이렇게 느긋하게
지낼 수 있는 거야???
두렵지
않은 거야???
글쎄..

아마 나는..
속이 썩을 만큼
썩어서..
고오오오오오오오
더 이상 썩을 곳이
없을까나...???
뭐?

알지..? 설치류 목숨 따위..
아무도 신경 쓰지 않는다는 거..?
쿡쿡쿡....
너무
어두워!!!!!!!!!!

사실 블로그 일도
하면서
부업으로
글도 쓰고 그래서
뭐 어떻게든 되겠지..
하고 있어.
오 그래?
멋지다..

솔직히 어느 정도는
하늘의 뜻이라고
생각하고 있어..
사는 게
마음대로 되는 게
없잖아..
그건 그래..

후...
쫑깃
쫑깃

난 절대 울쥐처럼
초연해질 수 없어..
겁이 많고
성격이
급하니까..

진짜 어떻게
살아야 하나~~
전부 내가
찾아야 하니까
막막해 미치겠넹~~

어이,
배신자.
날 버리고
행복했어?
뭐얏..!!
이 목소리는 커트..?

항상 긴장을
놓지 말아야지.
세상은 만만한 게
아니라고~
알겠으니까
손가락 좀 치워 줘잇!!!!

그나저나
어떻게 지내, 햄?
수심이
깊어 보이던데.
말해 봐.
상담해 줄게.
에.. 정말?

그러니까~~
어떻게 살아야 할지
고민이라고?
응

그런 고민을 하고 있는 시점에서
이미 잘하고 있는 거 아니야?
뭣!!??

주변을 봐 봐.
삶이 침몰 중인데도
아무 생각 없이
사는 애들 투성이야.
두리번..
그래?

주변에 아무도 없는데..?
두리번
두리번
.............나 있잖아.

너 놈팽이였어?
응,
나 놈팽이야.
와우
몰랐어.

사는 건
지옥이야, 햄.
더 이상 햄스터라는
이유로 귀염 받던
시절은 지났어.
그치.
햄스터도
일을 해야 돼.
맞아.

태어난 이상
노력은 강제야.
넌 잘하고
있는 거야, 햄.
넌 내 롤 모델
이라고.
정말?

난 널 존경해, 햄.
네가 날
버렸을 때부터.
어.. 어법버..
난 널 버린 적
없어..

넌 날 버렸어,
햄.
자기 삶을 살려면
어쩔 수 없는 거야.
아.. 아니.. 난
쓰레기가 아니야..!

넌 쓰레기야, 햄.
뭣!!
쓰레기가 되는 걸
두려워하지 마.
필요한 일이야.
에?

잘 살려면
어느 정도는
차가워야 돼.
너 자신한테
까지도.
난 이미 쓰레기
된 거구나.

넌 잘될 거야, 햄.
내가 햄스터
보는 눈이 있잖아.
정말?
아니, 그냥
해 본 말이야.

너는 너를 믿을
필요도 없어!
나를 믿고
하던 대로
해 보는 거야..!
책임은...
누가 져..?
너지.

널 위해
기도해 줄게.
너.. 종교
없잖아.
응, 그냥
하는 거야.

후..

잘 살기 위해
어느 정도 쓰레기가
돼야 한다고..?

솔직히 친구들을
떠나 보낼 때..
왠지 기분이
좋기도 했어..!!!
두둥

내 시간을
마음대로
쓸 수 있고..!!
거절하기 힘든
연락을 받지 않아서
좋아 버렸다고옷!!!!

난 쓰레기야..
그래서 좋아..

이렇게 되면
어쩔 수 없어..
최대한 내 자신에게
집중하는 거야...
느히히..
느히히히...

더 독하게
살아야 돼...
더 독하게..

느히히히 히..

잇선의 편지

가끔은 자기 삶을 지키기 위해 독해질 필요가 있죠.
주변의 방해와 잡념으로부터 방어하기 위해서라도
필요한 거 같습니다.

저도 한때는 독해지려고 노력해 본 적이 있는데요.
의지가 약해서 3일 만에 포기하고, 바로 원래대로
우유부단하게 살고 있습니다. 그것도 의지가 꽤
필요한 일인 거 같아요.

우리 햄도 그 마음을 잘 지킬 수 있을지 궁금하네요.
만약 독한 마음을 잘 유지한다고 해도, 그게
좀 심해지면 강박이 많이 생길 수도 있고..
스스로를 괴롭게 하게 될 수도 있을 거 같은데..
왠지 그렇게 될까 봐 걱정이 되네요.

햄이 너무 힘들지 않았으면 좋겠는데요..!
다음권에는 더 귀여워진 햄이 어떻게든 삶을 개선하려는
이야기가 있을 거 같습니다.
주변 친구들의 활약도 많을 거 같고요!
호호홍, 기대해 주시면 좋을 거 같습니다. 고맙습니다~!
햄도 응원하고 있고 독자님들도 응원하고 있습니데이..

독해져야 하는데..
조금 졸리네.. 에헤헹..
에헹..

초판 1쇄 인쇄 2024년 7월 5일
초판 1쇄 발행 2024년 7월 12일

지은이 잇선
펴낸이 최순영

웹툰본부 본부장 김형준
편집 배재성

펴낸곳 ㈜위즈덤하우스 **출판등록** 2000년 5월 23일 제13-1071호
주소 서울특별시 마포구 양화로 19 합정오피스빌딩 17층
전화 02) 2179-5600 **홈페이지** www.wisdomhouse.co.kr

ISBN 979-11-7171-205-2 07810
ISBN 979-11-7171-204-5(세트)